GILBERT DELAH
MARCEL MARLI

martine

et l'âne Cadichon

casterman

Connaissez-vous le père
Julien ? C'est le voisin
de Martine.

Il est toujours dans son verger
avec l'âne Cadichon.

– Bonjour, père Julien !

– Bonjour, les enfants !…
Voulez-vous des pommes ?

Papa dit toujours :

– Le père Julien est aussi têtu que son âne.
À force de grimper dans son arbre, il finira par lui
arriver un accident.

Un jour, le père Julien tombe de son échelle et se fracture
le tibia. Il faut lui plâtrer la jambe. Il ne peut plus marcher.

– Ça doit être rudement ennuyeux de rester toute la journée sans bouger !

– Oui, le temps paraît long, dit le père Julien.

– Vous allez vite guérir, n'est-ce pas ?

– J'espère… Mais en attendant, qui prendra soin de Cadichon ?

– Ne vous en faites pas pour votre âne, père Julien. Nous veillerons à ce qu'il ne manque de rien.

Dans le pré, l’âne tourne en rond :

– J’ai faim. J’ai froid… où est le père Julien ?

– Il a eu un accident. Il ne pourra plus s’occuper de toi avant plusieurs semaines.

L’âne s’inquiète. On le rassure :

– Ça va s’arranger, Cadichon. Nous allons t’emmener à la ferme. Là, tu seras comme chez toi.

– Je veux bien… Non. Je ne veux plus… Je reste à la maison…

Enfin Cadichon se décide. On le conduit chez le fermier. Martine explique ce qui vient d'arriver.

– On n'a pas besoin d'un âne à la ferme, répond le chat.

– C'est vrai, ajoute le fermier. Passe encore si c'était un mouton ou un canari. Mais un âne !... Martine insiste :

– Nous soignerons Cadichon. Vous n'aurez pas à vous en occuper.

– Dans ce cas, d'accord. Conduis-le à l'étable et donne-lui à manger... Mais c'est bien pour te faire plaisir !

Une fois Cadichon dans l'étable, Jean apporte de la paille et prépare la litière. Martine va chercher des choux, des carottes, un seau d'eau.

– Je n'ai pas faim !

– Allons, fais un effort, Cadichon !

– Je n'ai pas soif !… J'ai envie de dormir.

Martine perd patience, tape du pied. L'âne se met à braire :

– Hi-han !… Hi-han !…

– Chut ! chut ! fait Patapouf. Si tu continues, le fermier te mettra dehors.

Biquette la chèvre apparaît à la porte. Elle roule de gros yeux, agite sa barbichette :

– Alors, Cadichon. Quelque chose ne va pas ?

(Les chèvres savent comment il faut parler aux ânes. Elles ont l'habitude.)

Cadichon, qui a reconnu la voix de Biquette, retrouve son sang-froid et baisse la tête :

– Je veux rentrer à la maison !

– Pour quoi faire ? tu n'es pas bien ici ?

– Je veux voir le père Julien.

– Rentrer à la maison ? Tu n'y penses pas ! dit Martine.
C'est impossible... Et puis tu n'es pas raisonnable. Tout ce bruit, oh ! là ! là ! Elle conduit Cadichon sous le hangar :
– Ici, au moins, tu ne dérangeras personne.
Survient une guêpe. Elle cherche querelle à Cadichon... qui se fâche :
– Va-t'en au diable ! dit-il.
Il fouette l'air avec sa queue... rate la guêpe. Et vlan ! d'une ruade il envoie rouler à terre la bicyclette neuve du fermier... Quelle histoire !

Le fermier a tout entendu. Il accourt,
les bras au ciel :

– Je te l'avais bien dit, Martine,
que nous aurions des ennuis avec cet âne.
– Il ne l'a pas fait exprès.
– Les ânes, c'est comme ça. Moi, je les connais. Faut se méfier. Ils ne font que des bêtises.
– Mais, interrompt Martine, c'est à cause de la guêpe !
Le fermier continue :
– Je vais enfermer Cadichon dans
l'herbage avec les moutons.
Ça le calmera.

Dans l'herbage, Patapouf batifole avec le troupeau.

Il aperçoit Cadichon dans son coin :

– Tu en fais une tête !… tu es puni ?

– Moi, puni ! Qu'est-ce que tu crois !

(Il ne faut jamais vexer un âne, c'est bien connu.)

Cadichon, furieux, s'élance vers le chien. Patapouf aboie.

Les moutons s'énervent et s'enfuient de tous les côtés.

C'est la panique.

Martine se fâche :

– Si le fermier apprend que tu excites les moutons, tu seras mis au pain sec !… Et toi aussi, Patapouf !

Elle attache Cadichon au cerisier. Tout rentre dans l'ordre.

Un mouton s'approche de Cadichon :

– C'est malin !… tu nous as fait peur.

– …

– Tu ne réponds pas ?

– Laisse-le, dit Biquette. Tu vois bien qu'il boude.

Le lendemain, le soleil brille, haut sur la plaine. Il est dix heures.

Les moutons sont dans le pré depuis longtemps.

– Alors, Cadichon ? On ne se lève pas aujourd'hui ? demande Martine.

– Je suis malade. J'ai mal aux dents.

– Debout, Cadichon !... debout !

Cadichon fait la sourde oreille.

Si le père Julien voyait son âne !...

Il ne serait pas fier de lui.

Voici le facteur. Une lettre pour Martine ?... Cela vient du père Julien : “Ma chère Martine, je suis en convalescence chez mon neveu. Le médecin dit que les os se ressoudent comme il faut. J’espère que tu vas bien et que Cadichon ne te donne pas trop de soucis. Tu me raconteras tout ça quand je reviendrai”.

Signé : “Père Julien”.

On s'en serait douté, que le père Julien allait se tracasser au sujet de son âne.

Que dirait-il s'il apprenait toutes ses sottises ?

Rien que d'y penser, le cœur de Cadichon se met à fondre :

– Hi-han !... Hi-han !...

– Eh bien ! Quoi encore ? demande Martine.

– C'est plus fort que moi... je n'aurais pas dû te faire enrager... Tu ne diras rien au père Julien ?

Martine passe le bras autour du cou de Cadichon :

– Mais non, mais non. Je t'aime bien, tu sais.

Cadichon s'est calmé. Martine continue à lui parler doucement à l'oreille :

– C'est fini. N'en parlons plus.

– Je ne me mettrai plus en colère.

Plus jamais.

– Tu ne feras plus la mauvaise tête ?

– C'est promis !

– Tu ne bouderas plus ?

– C'est juré !

– Bravo ! dit Martine. Moi aussi je te promets de ne plus me fâcher...

Nous allons avoir un gentil Cadichon... Mais regarde dans quel état tu t'es mis ! Que dirais-tu d'un brin de toilette ?

– Et si je t’apprenais à faire la révérence ?

– Bonjour… bonsoir la compagnie !

– Et à danser, pourquoi pas ? Tu vois, c’est facile.

Tu lèves la patte gauche et puis la droite, comme ça.

– Venez voir, un âne savant ! s’écrie Patapouf.

Le chat ricane :

– Un âne savant ! Laisse-moi rire !

Patapouf est content. Un camarade qui ne

fait pas la mauvaise tête, c’est tellement plus agréable !

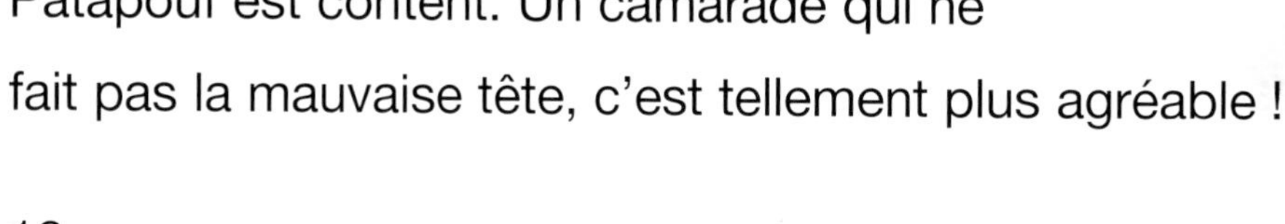

Mieux vaut un âne charmant qu'un âne savant : Cadichon est devenu un vrai modèle de patience et de bonne volonté.

Il ne pousse plus que des « hi-han ! » joyeux.

À présent, Martine et lui sont d'excellents amis. Le fermier n'en revient pas. Il a son idée…

– Qu'est-ce que vous faites ? demande Martine.

– Ma bicyclette ne tient plus ensemble. Avec les roues, je vais fabriquer une charrette.

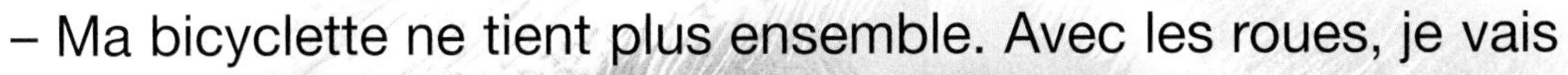

– Une charrette ? Pourquoi donc ?

– Pour aller promener avec Cadichon, pardi !…

On a passé un collier de fleurs au cou de Cadichon.

Et aussi une clochette qu'il agite à tout propos.

Martine a pris place dans la charrette.

Les copains suivent à vélo.

On s'en souviendra longtemps de cette promenade !

– Salut ! sifflent les hirondelles en traversant le ciel.

– Où vas-tu, Cadichon ? demande le mouton.

– Voir le père Julien.

Le père Julien marche avec une canne. Il est presque guéri.

Vous pensez s'il est heureux de revoir son âne !

– Alors, Cadichon, on a été sage ?

– Oui. Je ne pleure plus, je ne boude plus, je ne fais plus la mauvaise tête…

– Et nous ne nous mettons jamais en colère, ajoute Martine.

Elle est fière de Cadichon. Le père Julien aussi. Et on s'embrasse gaiement. Un âne, c'est un âne. Ils sont tous pareils. Comme ils ont bon cœur et qu'ils sont têtus, ils tiennent leurs promesses. Non c'est non, oui c'est oui. Ainsi s'achève cette histoire.

http://www.casterman.com
D'après les personnages créés par Gilbert Delahaye et Marcel Marlier / Léaucour Création.
Imprimé en Italie. Dépôt légal : 4e trimestre 1981; D. 1985/0053/195.
Déposé au ministère de la Justice, Paris (loi n° 49.956 du 16 juillet 1949 sur les publications destinées à la jeunesse).
ISBN 978-2-203-10131-9